모리아 MASTER

아그니 요가 3

발 행 | 2024년 03월 06일
저 자 | 모리아 대사
번 역 | 임창균
편 집 | 정재훈
펴낸이 | 최일해
펴낸곳 | 매직머니
출판사등록 | 제2019-000009호
주 소 | 경기도 양주시 고암길 154-21
전 화 | 010-2231-9977
이메일 | sita7@naver.om

ISBN | 979-11-92435-16-9

정 가 | 13,200원

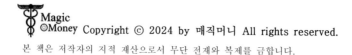

AGNI YOGA 3

포하트와 루시다

그러므로 그것들은 친밀함을 위해 연구되어서는
안 되고, 생명력 적용을 위해 연구되어야 한다.
단지 이 방식만으로
여러분은 에너지 흐름을 창조할 수 있다.

135

한 계획의 변동성을 보호해서
전체의 제국들을 형성하는 걸 우리는 안다.
그 성채를 포위한 존재들은
잠시 힘을 강화하기 위해 물러났다.
후에 그들의 캠프는 위협적인 성채가 되었다.
겉보기에 접근할 수 없는 이 성채는 사람들을
두렵게 했다.

한쪽에 쏠린 에너지의 비이성적인 사용으로
군대 전체는 파괴되었을 것이다.

그러나 행위에 대한 새로운 흐름의 도입은
새로운 성채를 창조했다.

지식의 성채를 창조하는 것은 승리이다.

136

영(spirit)으로 넘치는 그릇(a vessel)이여!

그래서 우리는 과거 삶들의 경험을 기초로
그리고 획득하려는 결심으로
그들의 의식을 확장하고 진화의 토대들에 대한
이해로 들어가는 사람들을 소환한다.

만약 이 정의가 어떤 존재들에게 비과학적이라
면 이렇게 말하라.

"존재는 영적인 영역에서의 위대한 고생하는 일꾼(a great toiler)을 레이던병(일종의 축전기)이라고 부를 수 있는가?"

진실로, 그래서 이 외부의 에너지가 축적된다. 적절한 시간이 되면 하나의 방사(discharge)가 따른다.

잠재력이 준비되고
아직 그 시간이 도착하지 않은 때에
그 긴장은 격렬하다.

민감한 장치들이 원초적인 물질(Primary Matter)의 위험한 소립자들을 특히 동화하기 때문에 그것은 어렵다.

알려진 것과 같이, 원초적인 물질 자체는-Materia Matrix-감염된 하위의 층들의 소용돌이 때문에 지구적인 영역에 침투하지 못한다.

그러나 원초적인 물질을 알갱이로 만드는 것을 나타내는 소위 포하트(Fohat)는 불꽃들의 형태로

지구적인 표면에 이를 수 있고

 태양 광선이 화학적인 행성의 광선과 교차하면서 그 광선의 화학적인 구성에 따라 불꽃들을 색으로 물들일 때 어떤 눈으로 식별할 수도 있다.

 포하트 이외에도 지구적인 표면은 빛나는 물질, Materia Lucida의 흐름에 의해서 도착한다.

 어떤 시각에는 공간에서 빛나는 흐름과 지점들로 인식될 것이다.

 이러한 화학적인 현현은 시각의 특이성으로 심지어는 결함 있는 시각으로 여겨질 수 있다.

 그러나 지식은 그것들이 **장치**를 위해서 가지고 있는 깊은 중요성을 드러낼 것이다.

 한편 Fohat가 실현된 불꽃들의 결과들과 Materia Lucida의 흐름들은 호의적인 것이다. 왜냐하면, 그것들은 영을 진화의 필수성에 대한 의식으로 불어 넣기 때문이다.

 다른 한편에서, 그것들은 그 불같은 원소의 부분들이 되면서, 그 센터들이 발화하게 하고 발화를 위협한다.

 그 불 원소의 현현은 전기의 가장 긴장한 색깔에 비유할 수 있다. 그러나 전기의 빛의 규모는 제한적이다.

 반면, Fohat의 화학적인 빛의 불꽃들의 다양성은 상상을 넘는다.

 Fohat의 빛에 대한 타입들은 귀중한 수정들과 같다. 심령적인 에너지를 공급하며, Fohat는 멀리 떨어진 세계들로 가는 길을 포장한다.

 반면에 Materia Lucida는 의식을 강화하는 것을 짠다. 하나는 강화하고, 다른 것은 존재를 완벽의 깊이가 없는 깊은 곳으로 밀어 넣는다.
 이것들은 위대한 Aum의 놀라운 선물이다.

처음에, 여러분은 거친 물질적인 법칙들을 보았
다. 여러분은 공중 부양에 참여했다.

그리고 물질화와 사물 이동 실험들에 참여했다.

이것은 끌어당기기를 위해서(for attraction)가 아니라
엄격한 지식을 위해서 수행되었다.

그 후에 여러분은 아스트랄 세계를 보았다.

이는 그 세계에 몰입하기 위한 것이 아니다.

의식을 확장하면서, 오라와 화신들에 대한 이미
지에 대한 가능성을 받아들였다.

반물질적인 세계로 끝내면서, 우리는 우주적인 투
시력(clairvoyance)과 청력(clairaudience)에 접근했다.

Sister Urusvati의 열린 센터들을 사용해서, 다른 자질들의
광선과 가장 정묘한 물질들의 구조를 보일 수 있었다.

그렇게 해서 우리는 불의 원소에 가까운, 그러므로 위험한 멀리 떨어진 세계들에 대한 깨달음에 접근했다.

그러므로 추위에 대한 처방 계획(regimes of cold)이 필요하게 된다.

그 결과들은 찬란하였다.

그 기관에 특정한 충격 없이, 포하트의 알갱이화를 보여주는 것이 가능했다. 다른 말로, 소위 프리즘으로 분광된 시각을 받을 수 있었다.

Fohat의 현현을 지각하는 것이 왜 중요한가?

이 가장 정묘한 에너지의 알갱이화(granulation)는 우주적인 응고들(cosmic coagulations)의 토대에 놓여 있다.

그것은 정확히 Fohat가 새로운 천체들(spatial bodies)의 형성에 추진력을 주는 아버지가 될 것이라는 의미다.

멀리 떨어진 세계들에 대한 지식에 도달하는 존재는 Fohat 결정체들(crystals)의 힘과 아름다움을 느낄 것이다.

이것은 어려운 실험이다.
그래서 우리는 즐겁다.

왜냐하면, 육체는 가장 정묘한 에너지들을 거의
동화하지 않기 때문이다.

138

모든 잘못된 비난, 의심, 확언은 그것을 보낸 존
재에게 동시에 부담을 준다.

그 결과들이 그들 자신을 피할 수 없게 더 오래
지속되는 카르마에서 약속같이 뿌리내리는 것을
희망하는 것은 어리석다.

139

존재는 기대(expectation)와 노력(striving)의 차이를 확고히 이해해야 한다.

기대에서는 항상 움직임 없는 시간이 존재할 것이다. 노력에는 항상 미래로의 비행(flight into the future)이 존재한다.

이 차이는 현재 삶에 만족하지 못하고 다른 행성들에서 존재들의 끊임없는 흐름을 생각하는 존재만이 이해할 수 있다.

140

지구의 지혜와 멀리 떨어진 세계의 지혜 사이의 대조를 이해하자.

영이 오랫동안 멀리 떨어진 세계들에 대한 완벽함을 향해 노력했다면, 지구에서의 삶은 단지 조각들을 모으는 것에 불과할 것이다.

가장 정묘한 에너지들에 대한 영역들에서의 모든 실험은 여러분이 쉽게 지구에서 분리될(are torn) 때의 시간들에서 일어날 수 있다.

이는 소위 멀리 떨어진 세계들에 대한 지혜로의 억누를 수 없는 노력함을 구성한다.

지구에서의 어떤 감각은 무한으로의 이 비행과 비교하면 아무것도 아닌 것처럼 보인다.

그러나 종종 우리는 지구적인 지혜의 기둥들을 강화해야 한다.

우리는 멀리 떨어진 세계들의 지혜에 즐거워한다. 그러나 지구적인 지혜를 잊어서는 안 된다.

진정한 즐거움의 삶이란?
141

오늘날 여러분은 천체들의 음악을 들었다.
진화의 실현을 강력하게 하는 그 리듬을 들었다.
그것은 정확히 주제가 아니었다. 그러나 천체 음악의 에센스를 형성하는 리듬이었다.
진정 그 소리의 순수함 정도는 행성 간의 도관(the interplanetary conduit)을 결정한다.

이러한 소리들은 멀리 떨어진 많은 세계에서 들린다.
그러나 지구에서는 높은 고도에서만 들을 수 있다.
그리고 음악적인 귀를 가지는 것이 필수적이다.

천체들의 음악을 들은 귀는 바람(the wind)으로부터 보호되어야 한다.

142

단 한 번이라도, 우리의 미션을 위한 자신의 워크를 후회한 모든 존재는 자신과 우리 사이에 통행할 수 없는 장벽을 창조한다.

143

확실히 아시아의 연료 문제는 다르게 취급해야 한다.

광물 연료는 가능하게 이용되어야 한다. 또한, 나무 기르는 곳(tree nurseries)을 세워야 한다.

시안산(Cyanic acid)은 오랜 세기 동안 아시아의 뇌(the Brain of Asia)에 독을 넣었다.

높은 곳들에서도 연소하기 쉬운 물질들(combustible materials)의 퇴적물이 존재한다.
그들의 두뇌를 분실했기에, 사람들은 게으름뱅이가 되었다.

나는 프라나가 항상 보장되는 모든 곳에서는 건강을 보증한다.

진화의 현현은 분리되지 않게 민족들의 삶의 진보와 관련을 가져야 한다.

개들이 으르렁거리는 것은 그 교향곡에 리듬을 줄 수 있다. 묘지의 고요함은 바람 부는 소리보다도 가끔 더 무섭다.

144

영이 더욱 완벽해질수록, 지구적인 삶의 깊은 고통을 더욱 틀림없이 깨닫는다.

그러나 나 자신은 즐거움에 대해서 되풀이한다.
그러한 즐거움은 멀리 떨어진 세계들에 대한 깨달음에 있다.

간단한 예를 들어보자.

여러분의 객차는 밤의 어둠을 통해 집으로 돌진한다. 부어지는 비는 여러분을 의기소침하게 할 것이다. 그 대신 여러분의 영은 환호한다.

왜?

집이 가까이 있고 어둠 자체는 여러분의 심장에 가까운 존재들을 식별하는 것을 방해하지 않음을 여러분이 깨달았기 때문이다.

여러분에게 멀리 떨어진 세계들이 실제가 될 때 지구적인 삶의 고통은 무엇이 될까?

멀리 떨어진 세계들로의 길을 서둘러 깨달아라.

삶의 이해를 이렇게 넓히는 것만이 여러분의 영에 즐거움의 길에 대한 토대를 제공할 것이다.

그렇지 않다면 무엇을 즐거워할 것인가?

환생의 불가피성을 즐거워할 것인가?

그러나 미래에 대한 비전이 부족해서 환생들은 삶의 페이지에서의 의미 없는 조각들일 뿐이다.

동물적인 추론은 미래에 대한 인식이 필요하지 않다.

지식에 대한 의지는 사람으로 하여금 삶들의 변화를 이해하게 한다.

단지 그러한 생각을 가지고 인간은 즐거움의 권리를 받는다. 그리고 노력함으로써 멀리 떨어진 세계들과 협력할 수 있다.

천문학을 통해서가 아니라 매일의 삶에서, 인간은 삶의 부를 증폭할 수 있고, 매일 매일의 사건들을 같은 단위로 계량할 수 있음을 식별할 것이다.

진화의 토대들을 깨달은 모든 존재는 자신의 지식을
일정 사람들에게 전송하는 책임을 지고 있다.

이것에서 더 위대하거나 덜 위대한 전달자는 이와
같은 법칙에 노출된다. 그는 타인의 자유를 침해하지
않고 지식을 전달해야 한다.

진화의 토대들은 자발적으로만 깨달을 수 있고
일깨워진 영의 노력을 통해서만이 삶에 적용될 수 있다.

전체 삶은 진화에서 새로운 방향으로 다시 조정되어야
한다. 이 새로운 방향은 이 재능을 영으로서 지구로 기
꺼이 가져오지 않을 사람에게는 접근이 금지되어 있다.

그러나 이 선물은 지구적인 길을 종결하는 것에서
중요성이 있다.

우리는 베단타(Vedanta)의 가장 고대 가르침에
따라 자유의 이 원리를 안다.

그러나 진화의 부활에 앞서, 이 추진하는 힘에
대해 다시 되풀이하는 것은 우리의 임무다.

146

여러분은 가끔 지구를 떠나 멀리 떨어진 세계들로
떠난 영들에 관해서 물어왔다.

여러분은 우리 행성의 창백한 색을 인지하고
아름다운 실제가 존재하는 곳으로 건너가는 것
에 대한 목적의 적합성을 이해했다.

존재는 진화의 토대들을 환영함으로
지구에 대한 존재의 의무를 완수해야 한다.
그에 인류와의 최고의 협력이 포함될 것이다.
그러나 반원형 유리는 자라는 참나무 가지들을

숨길 수 없다.
 최고의 높이로 노력하면서
 최대한 모든 사람을 상승케 하라.

147

 존재는 의식을 중간 두뇌(the middle brain)에 주
어야 한다.

 삶에서의 요가 가르침의 정확한 도달은 삶의 발
전에 있다. 삶 동안 축적되는 현현들은 삶의 요
가가 실제와는 떨어진 인공적인 상승보다 어떤
정도로 우월한지를 증명한다.

148

 진리의 리듬은 무적의 성채와 같다.
 쌓여있는 말이 아니고, 리듬 있는 소리가 결정적

인 중요성을 지닌다.

리듬의 번개가 가장 해로운 존재들을 추방할 수
있을 때, 왜 말로 정복하려고 노력하는가?

생각이 의식을 즉각적으로 침투할 때
긴 문자들을 편집하는 게 무슨 소용인가?

생각과 의지에 관한 행위에 대한 가르침은
이미 사람들에 의해서 왜곡되었다.

그들은 기계적인 행위로
의지와 생각의 무기력을 차감하려고 해왔다.

매우 찬란한 장난감들을 포함해
달래서 잠들게 하는 모든 인공적인 최면술적인
방책은 어리석다.

심지어 눈을 교차할 필요도 없다.
그러나 삶에서 진정한 요가를 깨달은 존재는

진리의 빛이 (자신에게) 타격을 가하고 부활함을
안다.

우리가 정직함의 필요를 말할 때
가치 없는 사람들을 고려하지 않는다.
개인적인 요소가 없는
완벽한 진리의 똑바른 선을 지적한다.

이 가능성은 신뢰할 수 있는 지식(straight knowl
edge)으로 실현할 수 있다.

성배(the Chalice)의 중심에서 축적되는 경험은
무적의 지식을 준다.

성배의 중심은 피의 저장소(the blood reservoir) 가
까이 존재한다. 왜냐하면, 피는 지상에서 우리가
통과하기 위한 수단(the wherewithal)이기 때문이다.

그래서 진리는 관련되는 추상적인 것이 아니다.
그것은 직접적인 경험을 기반으로 하는 우주적

인 법칙들에 대한 깨달음(실현)이다.

 그러므로 우리의 회계사(Our accountant)는 정직하더라도 계산에서 실수할 수도 있다.

 그러나 가장 효율적인 위선자도 효율성의 그 힘을 획득하지 못할 것이다.

 입문들, 명상, 집중력이 닳아빠진 개념들을 고려하는 것은 올바르다. 그러한 개념들은 행위로 표현되어야 하기 때문이다.

 전체의 인위적인 매직은 잊어져야 한다.

새 시대에 아그니 요가가 필요한 이유

149

사람들의 몽롱함이 증가한다.

불타는 꽃은 이 행성 전체 공간에 보이지 않는다.

150

사람들은 다양한 방식으로 완벽에 도달할 수 있다고 항상 믿는다.

복잡한 신기루들이 평범한 마음을 달랜다.

그러나 인류는 단지 두 방식을 가진다.

현명하게 열심히 Aum의 깨달음을 구하거나
어떤 사람 혹은 어떤 것이 그 영의 가게주인의

운명을 돌볼 것이라고 당연히 여기면서 통나무처럼 관에 눕는 것이다.

 최고의 가능성에 대한 실현을 향한 진정한 노력은 가장 필수적인 그리고 몰두하는 일로 삶의 더 큰 부분을 채워야 한다.

 그러나 지식의 빛은 종교들의 관습적인 도그마로 교체된다. 그리고 인간(생각하는 존재)은 어두운 구석을 숭배한다.

 그 이미지의 상징을 이해하지도 않고
 자신에게 부적들을 매달고 있다.

 관습 존중의 어둠 속에서 잠자는 모든 사람에게 이것을 반복하라.

 미봉책은 존재하지 않는다.
 노력 혹은 죽음에 동결되는 것 중 하나다.

더욱이, 노력함은 우주적인 깨달음들의 즐거움으로 가득 찬다.

반면에 죽음의 동결은 두려움으로 가득 찬다.

관습적인 성공의 가면으로 생각의 가난함을 숨기려고 노력하는 정부들은 무덤 파는 존재들의 역할을 취한다.

그래서 젊은 세대에게 생명의 요가가 도래한다고 경고해야 한다.

최고 근원들에서 주어진, 모든 이전의 요가는 그들의 토대로써 삶의 명확한 특질을 취했다.

그리고 지금, 마이트레야 시대의 도래에
전체 생명의 에센스를 포함하는
하나의 요가가 필요하다.
그것은 모든 것을 감싸는, 아무것도 피하지 않는, 정확히 성서의 전설에 나오는 불타지 않는

젊은이들과 같은 것이다.

즉 그들은 용감하게 자신을 불타는 용광로에 희
생해서 힘을 획득한 존재들이다.

여러분은 나에게 이 생명력의 요가를 위한 하나의
이름을 제의할 수도 있다.

그러나 가장 정확한 이름은 아그니 요가(Agni Yoga)다.

정확히 불의 원소가
자기희생의 이 요가에 그것의 이름을 준다.

다른 요가에서는 그 위험(the perils)이 수행을 통
해 줄어드는 반면, 불의 요가에서는 증가한다.

왜냐하면, 모든 것을 묶는 원소로서의 불은
자체를 모든 곳에서 현현시킨다.
그래서 가장 정묘한 에너지들을 실현하게 한다.

불은 삶에서 딴 길로 인도하지 않을 것이다.

그것은 멀리 떨어진 세계들에 신뢰할 수 있는 안내자 역할을 할 것이다.

그것이 측정할 수 없는 공간을 넘치게 하는 이유다.

151

왜 이 요가가 불같은 이라는 용어가 되었는가?

힘의 그 증거는 생생한 생명력을 더욱 완전하게 하고 각각의 김빠진 현현을 사라지게 한다.

불의 나타남은 물질의 광휘를 생산한다.

적절하게 말하면, 불이 있는 곳에, 진행하는 완벽함의 증거가 존재한다.

긴장된 오라가 공간의 불을 불러일으키고
그 공간의 불을 특별한 발광으로 감싸는 예들을
우리는 안다.

이런 방식으로 인간과 가장 정묘한 에너지와의
물질적인 접촉이 일어난다.

존재가 대기의 중앙 층들에서의 가장 높은 에너
지들을 느끼고, 얼마나 비일상적인 가능성이 인간
에게 하강하는지를 느낄 수 있을 때

우리는 그것을 특히 가치 있게 생각한다.

어둠의 구덩이들은 강력히 살균해야 한다.

그리고 여러분이 불의 원소에 대한 위험에 대해
듣는다면, 위험은 성취의 왕관이라고 답하라.

새 시대에 필요한 아그니 요가의 탁월함

우리는 그 전투를 단 하나의 승리로 제한할 수 있나?
겉으로 보이는 나쁜 운은 바로 그 뿌리에 있다.

성공은 많은 색깔의 꽃잎과 같다.
그러나 그 뿌리들을 건드려라.
힘의 수액이 존재하기 때문이다.
그 힘은 실험의 침전제로 여겨져야 한다.

우리는 경험이 성취를 보장하는 삶의 동산에 다시 존재한다.

아그니 요가와 이전 요가들 사이의 비슷함과 차이들이 어디에 있는지 보자.

카르마 요가는 대지(Earth)의 원소들과 작용할

때 아그니 요가와 많이 유사하다. 그러나 아그니 요가가 멀리 떨어진 세계들에 대한 깨달음의 길들을 소유하고 있을 때 둘의 차이가 분명해진다.

라자, 즈나나, 박티 요가는 모두 둘러싸는 실제와 분리된다.
이 때문에 미래의 진화로 들어갈 수 없다.

아그니 요기는 또한 즈나나 요기, 박티 요기가 되어야 한다.
자신의 영력을 계발하면 라자 요기가 된다.
영이 과거에 정복한 것들을 거부하는 것 없이
미래의 진보의 과제에 대응하는 가능성은 얼마나 아름다운가!

존재는 혁신을 자랑해서는 안 된다.
원소들의 결합만이 그 가능성을 재생하기 때문이다.

각각의 위험은 이익도 제공한다.

후두(the larynx) 중앙은 종합(the synthesis)을 가
져온다.

그렇게, 그 칼은 불로 담금질 된다.

확실히 각각의 불꽃은 하나의 위험이다.
그러나 수용(감수성)의 형태에 대한 정묘함은 불
꽃으로 확인된다.

그러므로 아그니 요가는 불, 즉 생명력을 주는
것이며 의지 창조자의 현현 위에 창조된다.

수영하려는 존재는 두려움 없이 물로 들어가야

한다.

 아그니 요가를 마스터하겠다 결심한 존재는 이 요가를 통해서 전체 삶을 변화시켜야 한다.

 사람들은 왜 한가한 시간에 순수하지 못한 생각에 머물면서, 이 요가에 어떤 한가한 시간 일부를 일치시킬 수 있다고 생각할까?

 모든 행위는 순수하게 하는 불같은 노력으로 부어져야 한다.

 어떻게 내가 여러분과 함께 아그니 요가의 달성을 시작했는지 기억하라.

 비슷하게, 여러분의 제자를 이 불의 요가를 마스터하는 것의 영역으로 가져가라.

 조각가처럼, 원재료의 다른 표면을 만져서 갑작스럽게, 계속해서 혼란의 표면에서 생명의 불에 속하는 불꽃들을 쳐라.

위대한 어머니(the Great Mother)의 활동(the play)이
포하트 에너지의 회전하는 (나선형의) 곡선들에서 힘
을 얻듯이
그렇게 두려움 없이 사람들에게 무한의 깨달음
으로 모든 삶을 통합하는
비록 기대되지 않지만, 완전한 이해를 주어라.

의기소침과 영의 패배를 걱정하지 말라.
이것들은 단지 움직임의 나선형 곡선에 의해서
만 될 수 있다.
꾸준한 무관심과 자만심이 더 나쁘다.

아그니 요가를 위한 정교한 설계

아그니 요가가 우주적인 형태들의 영원한 개념과 유사한 것을 현현하는 불꽃의 계획(설계)의 의도로 이끌게 하라.

가장 통합하게 하는 이 요가는 외적으로는 인식할 수 없는 훈련(단련)과 일치하는 전체의 삶(생명력)을 건설하게 하는 의무를 거둔다.

만일 이 대체할 수 없는 단련이 구속으로 여겨지지 않고, 책임의 즐거움이 된다면 우리는 첫 번째의 문들이 열렸다고 고려할 수 있다.

멀리 떨어진 세계들과의 협력이 실현된다면
2번째 문들의 빗장이 열릴 것이다.

그리고 진보의 토대들이 이해될 때는
3번째 문들의 빗장이 떨어질 것이다.

마침내 밀도 높은 아스트랄체의 우월함을 깨달을 때 4번째 문들의 자물쇠가 풀릴 것이다.

이 상승과 나란히, 지식의 중심들의 불에 불이 붙는다. 가장 정묘한 에너지들의 번개 가운데서 신뢰할 만한 지식이 펼쳐진다.
그래서 지식의 불을 소중히 간직하고 그 성장하는 힘을 보호하라.

156

사람들은 우리 거주지에서 발생해야 하는 도움에 대해 말을 많이 한다.

사람들이 이 도움을 받아들일 수 있는 능력을 분석해 보자.

도움을 꿈꾸는 각각의 사람은 이미 그에 대한 이기적인 방향과 척도를 규정한다.

코끼리가 낮은 지하실에 있을 수 있을까?

도움을 구하는 존재는 그 도움의 비율 혹은 적절성을 고려하지 않는다.

백합은 겨울에 꽃을 피워야 한다.

사막에서는 샘이 터져 나와야 한다.

그렇지 않은 스승의 공적은 작다.

"사막을 만드는 존재이며 추위의 주님인 여러분은 자신의 목마름과 전율을 자신의 심장의 추위로부터 창조했다. 나의 봄은 여러분의 비전 넘어 남아 있었고, 여러분은 나의 꽃들을 고려하지 않았다. 여러분은 여러분의 길을 이기심으로 외피를 형성했고 단지 자신이 성장시켰던 가시들에서 여러분이 소중하게 간직한 발바닥을 보호하는 시간만을 발견했다. 나의 도움은 놀란 새처럼 날아갔다. 나의 메신저는 서둘러 되돌아갔고 백색의 Lobnor(호수)는 슬프게 울부짖었다. 나의 도움은 거부되었다."

그러나 이 여행자는 계속 둔하게 도움을 구한다.

미래에 자신이 파괴되는 장소에 관심을 기울인다.

그러므로 우리는 항상 정신바짝 차리고 유연성, 열린 마음을 가져야 한다. 그렇지 않으면 실제와 보조를 맞출 수 없다.

157

금욕주의의 길은 우리의 길이 아니다.
존재는 삶에 경험의 꽃들을 제공해야 한다.

누가 자신을 위해 평정을 잃지 않는 존재의 쉬운 문제를 선택할까?

누가 자신을 위해 한 전투의 구경꾼 역할을 취할까?

그러므로 구경꾼이나 안일하게 사는 사람은 없다.
왜냐하면, 불꽃은 문턱에 존재하기 때문이다.

모든 사람은 기초 단계든 왜곡된 형태든
어떤 형태로의 요가와 일치한다.
사람들은 원소에(the elements) 따라서 분류될 수
있고, 요가들에 따라서도 나눌 수 있다.

고집쟁이에게서는 가끔 박티 요가의 왜곡을 발견한다.
견딜 수 없는 운동선수에게서 하타 요가를 발견한다.
열광자에게서는 라자 요가를 발견한다.
위선자에게서는 즈나나 요가를 발견한다.

그러나 지구적인 의식과 우주적인 맥동을 연결
하는 요가의 진정한 공헌을 무엇이 능가하는가?

존재는 환생한 영의 근본적인 노력을 대신할 수
있는 것을 상상할 수 있는가?

아스트랄적인 이해로 불어넣을 수 있는 어떤 것을 상상할 수 있는가?
인류의 존재를 정당화시킬 수 있는 어떤 것을 상상할 수 있는가?

아그니 요가의 연구는 인간을 멀리 떨어진 세계들로 가까이 가게 한다.

여러분은 나에게 어떤 육체적인 수련이 아그니 요가에 유용한지 물을 수도 있다.

나는 아침에, 5분이 넘지 않는 프라나야마(pranayama)를 권고한다.
존재는 훈제된 고기를 제외한 육류를 금해야 한다.
채소, 과일, 우유, 시리얼은 받아들일 수 있다.
와인 또한 특별한 치료 목적을 제외하고는 금한다.
아편은 아그니 요가의 적이다.
하늘에 있는 구름은 아그니 요기를 압박한다.

나는 신발을 고무로 격리하는 것을 권한다.

그리고 아침에 연기를 피하면서 걷기를 권한다.

용기를 가지고 삶의 다양한 의사소통을 받아들여야 한다. 그러지 않으면 어디가 선이며 어디가 나쁜 것인지를 결정할 수 없다.

삶에 진정한 요가를 전달하는 존재는 위대한 임무를 성취한다. 그래서 우리 앞에는 아그니 요가의 토대가 존재한다.

159

어떤 사람들은 물을 수 있다.

"그것은 진리를 가져오는 존재들에게는 쉽나요?"

물론 진리를 전달하는 각각의 존재를 위한 길은 어렵다. 그 불타는 길은 결코 쉽게 될 수가 없다.

그것은 둥근 지붕(a dome)이 진리를 전하는 존재의 머리에 하강하고 뇌의 센터들에 내리누르는 것과 같다.

의식적인 전투만이 그 영적인 영역에서 고생하는 존재가 자기 과제를 완수하게 이끈다.

분노의 안개는 그를 질질 끌 것이다.
왜냐하면, 그는 이 행성을 자신의 분리됨에서 벗어나게 하기 때문이다.

스스로 두려움 없다고 선언하는 사람을
두려움이 없다고 할 수 있는가?

지식을 획득했다고 공표하는 존재를
학식이 있다고 할 수 있는가?

성취에 가치 있는 각 존재는
자신의 일(워크)을 현현한다.
그것들을 선 혹은 악하다고 선언하지 않는다.

그것들을 단지 자신이 해야만 하는 대로 수행한다.

그렇게 해서 환생의 완료를 위한 길이 놓인다.

길을 완수한 존재는
그것을 번거로운 것으로 부를 것인가?

마지막 단계를 보는 것은 여행자를 즐겁게 한다.

그는 그가 접근하는 존재를 알기에.

아그니 요가의 나비효과와 삶에 침투하는 정도

160

존재는 자신을 위해
스스로 상승하고 하강할 수 있는가?

어떤 존재도 자기 주변에 영향 주는 것 없이
행위 할 수 없다.

그는 각 행위로 대기의 다양한 층을 휘젓고
문자 그대로 자신과 가까이 있는 존재들을 끌어당긴다.

그러므로 인간은
우주를 향한 자신의 책임을 깨달아야 한다.

자신의 이해에서 상승하는 인간은 이를 통해 어떤 사람에게 실질적인 도움을 보여준다.

한 존재가 영에서 추락하면
그것에 의해 아마도 어떤 사람을 죽인다.

의식적인 생각의 외부에
무의식적인 일정한 협력이 흐른다.

그것은 카르마와 오라의 법칙에 의존하는
넓은 범주(wide circles)를 감싼다.

한 존재가 살인자 혹은 혜택을 주는 존재일 때를
결정하는 것은 쉽지 않다. 단지 아그니 요가의 빛들
만이 정의로서 우리의 혼돈의 생각의 워크를 밝게
할 수 있다.

그러므로 이것 때문에
존재는 자신을 아그니 요가에 희생으로 신성하
게 해야 한다.

자기희생의 위험 같은 것이 거의 없다.
그러므로 말해지는 것은 소수만 이해할 수 있다.

그러나 존재는 아시아에서 미친 사람이 유럽에 있는 사람의 파멸의 원인이 되는 사례 혹은 아메리카에 있는 사람이 영으로 상승하여 이집트에 있는 다른 한 사람을 어떻게 치료했는가에 대한 수많은 예를 인용할 수 있다.

그러므로 은혜로운 생각들의 절정은
영의 불타는 꽃이다.

161

불이 모든 것을 감싸는 원리인 것처럼
아그니 요가는 삶 전체에 침투한다.

존재는 의식이 어떻게 점차 날카로워지는가를 알아차릴 수 있다.
어떻게 주변의 진정한 가치들이 나타나는지를
어떻게 세계들의 협력의 불변성이 성장하는지 알 수 있다.

그렇게 삶은 최고의 이해의 상징들로 가득 찬다.
진정한 개념으로서의 진리는
매일의 삶에 들어온다.

아그니 요가의 용기 있는 구도자들에게는
그 센터들의 불의 위험뿐만 아니라
정의가 아닌 것에 대한 고통스러운 민감성을 동반한다.

그러나 진정 자유롭게 하는 길에 대한 깨달음을
고려할 때 그러한 위험들은 무엇을 의미하는가!

존재는 아그니 요가를 빛의 접근을 알리는 아침의
별(the Morning Star, 샛별, 금성)로 비유할 수 있다.

그 센터들의 발전 동안
인간은 이해할 수 없는 증상을 느낀다.
과학은 무지해서, 가장 관련 없는 병들 탓을 한다.
그러므로 생명의 불들의 관찰에 관한 책을 쓸 때가 왔다.

나는 지체되지 않도록 충고한다.
이 세상에 존재의 실재와 통합에 대한 현현들을
설명하는 것이 필요하기 때문이다.

새로운 개념들의 결합이 감지할 수 없게 삶으로 들어
오고 있다. 이러한 징표들은 비록 소수에게 보일 수 있
지만, 삶의 토대를 구성하고 모든 삶의 구조에 침투한다.

눈먼 존재들만 삶이 새로운 개념들로 어떻게 가득
차게 되는지 인지하지 못한다. 그러므로 과학자들은
그 증거에 빛을 던지는 것에 소환되어야 한다.

의사들이여, 실패하지 마라.

아그니 요기의 정화 과정과 세상에 참여하는 여정

163

아그니 요기는 모든 나라의 관습을 포기해야 한다. 일시적으로 그중 하나에 속하기는 한다.

요기는 하나에 대한 우월한 지식과 그것을 마스터한다 해도 자신의 워크에서 동질성(homogeneity)을 포기한다.

그는 피의 관계를 영적인 관계로 대신한다.

아그니 요기의 방패는 세상들의 진화와 편견들을 엄격하게 포기하는 것, 신성화하는 것에 있다.

164

요기는 자신의 호흡 기관을 순수하게 유지해야 한다. 이를 위해 뜨거운 우유, 쥐오줌풀 진정제(valeria

n), 박하를 처방할 수 있다.

요기는 위장과 창자를 순수하게 유지해야 한다.
이를 위해 감초와 알렉산드리아의 senna를 처
방할 수 있다.

요기는 허파를 순수하게 유지해야 한다.
이를 위해 알로에가 주어지고 타르 또한 신중하게
적용해야 한다.

요기는 모든 것을 침투하는 Soma를 순수하게
유지해야 한다.
이를 위해 사향을 사용해야 한다.
순수성은 또한 내분비샘들의 활력을 의미한다.

165

요기는 위선에 굴복하지 않는다.
요기는 형제단(Brotherhood)에 속하는 존재들에

반하는 가십(gossip)에 전념하지 않는다. 그러한
가십은 반역의 결과를 나른다.

요기는 어느 정도로 제 생각들이 자신에게 반해서 권
한이 주어지는(empowered against himself) 것을 안다.

요기는 진화의 모든 증거에 자비심이 많다.
요기는 용기 있게 우주적인 쓰레기(cosmic refuse)의
악을 인지하고 비진리의 토양을 강타한다.

166

스승은 요기의 진보를 지켜본다.
그의 진보의 징후는 스승의 목소리를 듣는 힘일 것이다.
동시에 정의에 대한 민감성을 발전시키는 힘일 것이다.

요기의 언급들은 세상들의 진화에 진정 참여하는
것으로 가득할 것이다. 그러나 한 특질이 그 요기를
구별시킨다.

그는 죽음을 알지 못한다.
일깨워진 의식은
존재의 중단을 알지 못하기 때문이다.
그러므로 잠깐이라도
진리에 대한 봉사를 중단하지 않는다.

그래서 점차 요가에 도달하는 존재는
세상들에 대한 단계 위로 올라간다.
자신의 미션과 봉사는 중단되지 않는 흐름으로
존재한다.

자신의 다양한 외피(체)에서 의식을 유지하는 것은
생명이 요기의 성취를 절대적으로 필요하게끔 만든다,

요가는 지금까지 결코 단지 현현되지는 않았고
특별한 상태에서만 현현되었다.
그러나 영의 진화는
요가가 삶으로 가져와야 한다는 것을 요구한다.

이것을 향해
젊은 세대의 생각은 방향 지어져야 한다.

광신주나 회의론은 우리에게 필요 없다.

그러나 삶의 각각의 전체적인 변형은
주목되어야 하고 유지되어야 한다.

아그니 요가의 순수성과 영원불멸성
168

우리가 아그니 요가를 삶에 도입하기를 원한다면, 그것의 현현들은 가장 관습적인 상징들(signs)로 옷 입혀져야 한다.

제자가 스승의 도움(후원)을 원한다면 물어라.
영적이고 물질적인 도움을 원하는가?
확실히 이것을 원할 것이다.

그러면 시련(trial)의 길로 들어가자.
추위와 배고픔에 대한 갑작스러운 시험이 유용하다.
불신, 반역, 거짓, 미신에 대한 갑작스러운 시험이 유용하다.

어떻게 약한 영이 바람 아래 굴복하는지 주목하라.
어떻게 그가 음식에 입맛 다시는지 주목하라.

어떻게 입술이 가장 신성한 원리들을 위반하는
지를 주목하라.

그러나 여기에서는 가난하고 자기희생적이며 추위와
배고픔에도 미소 짓는 존재가 상승 시 우주의 원리
들의 힘을 신뢰하면서 (진리의 길을) 걷는다.

영원히 젊으므로,
그는 깨달음의 성취를 시도할 준비를 한다.

여러분이 삶에서 요가의 적용을 요구할 때
진정한 스승이 될 것이다.

169

전체적인 새로운 삶에 대한 구조의 정의를 확인하라.
특히 다른 한 사람의 보물들을 위조하는 사람들을
공격하라.

그와 같은 변경할 수 없는 진리가
다양한 의복으로 인류에게 주어진다.
그것은 항상 한 세기 내에 급히 달려가는 군중에
의해서 왜곡된다.
그러므로 진리의 순수함은 요기의 의무다.

진리에 대해 새로이 드러난 이미지가 헌신하는
구도자에게 미소 지을 때, 즐거움은 멀리 떨어진
세계들로 급히 갈 수 있다.

공간은 삶의 운명이 순수해졌다고 선언한다.
그리고 진리의 수호자들의 얼굴은 미소 짓는다.
그러한 미소는 희귀하다.

그러나 요가는 그것을 가져올 수 있다.
그러므로 요가의 수행은 삶의 밝힘(깨달음)이다.

171

우리는 가장 위대한 전투를 기대하면서, 일상적인 계획에 따라 명령을 주어야 한다.

하나의 전투가 삶의 흐름을 중단시키는 것은 올바른 것이 아닐 것이다.

전투는 우리의 운명이다.
존재는 전투를 매일의 계획에 포함해야 한다.

172

마법사(sorcerer)는 가장 평범한 행위를 유별난 것으로 감춘다.
그 요기는 심지어 관습의 범위에서 가장 유별난 현현을 가져온다.
왜냐하면 자연에 속하는 목적의 적합성을 알기 때문이다.

요기는 늙지도 젊지도 않다.
늙지 않는다.
점진적인 상승의 길을 알기 때문이다.

그러나 젊은 것은 아니다.
이전 경험의 축적을 깨닫기 때문이다.

요기는 알아차릴 수 없게 삶을 통과할 수 있다.
요기는 아둔한 말에 미소 짓는다.
그러나 무지를 강타한다.

"나는 진리를 비방하는 것에 대한 엄격한 공격자다.
오래된 세계를 순화하는 것을 떠맡는다. 냉혹하게 공허
함을 진압할 것이다. 대담무쌍함을 취할 것이다. 악의
분노에 반대한다!"

그렇게 그 요기에게 증거와 근거를 가지고 진실을
주장하라. 이 선언의 힘으로 그는 자신의 진리의
칼을 담금질한다.

그 요가에 들어가는 것을 행복으로 생각하게 하라!

과거는 요가를 시작한 존재에게 자신의 가장 좋은 과실들을 제공한다.

그리고 미래는 행위의 전망을 드러낼 것이다.

우리는 여러분이 표현의 표면성에 굴복하지 않고 근본적인 생각을 파악하게 가르쳤다.

여러분은 부처가 하나의 단어에서 전체적인 주제의 발전을 가르쳤듯이 제자를 인도하라.
한 단어 혹은 상징에서부터 쌓아 올리는 것에 대한 이해를 넓히게.

그러나 주로 반복하지 않게 노력하라.

영(spirit)을 받는 존재가 준비되면 각각의 생각은 하나의 화살처럼 찌른다. 그러나 근육이 붕괴하는 것과 센터들의 채널을 이미 막히게 한다면 어떤 요가도 성취할 수 없다.

요가 가르침은 각 존재가 영적인 현현에 도달하

지 않을지라도 유용할 것이다.

요가의 외부적인 가르침은 어떤 경우에 건강을 유지하게 하고 기억을 강화하고 생각을 순수하게 한다.

그러나 영을 고양하는 정복들에 대한 신호는 어떻게 나타날까?

처음 그 센터들의 내적인 불이 붙을 것이다.

그런 다음 보이지 않는 스승의 목소리가 울려 퍼질 것이다.

마침내 겉보기에는 개별적인 의식을 공간의 의식으로 구속하는 것처럼 보이는 외적인 불꽃이 현현한다.

그런 다음 놀라운, 모험적인, 가장 정묘한 에너지들과 접촉할 것이다.

삶을 변형하고 죽음의 개념을 논박하는 모든 것과 접촉할 것이다.

보통이 아닌 진귀한 것들과 접촉하기 어려움은 종종 삶의 특별한 상태들이 필요하다.

잠은 줄어들고 뒤로 눕는 자세는 지루해진다.
근육의 긴장은 영(the spirit)의 노력을 고갈시킨다.
오라가 독에 감염되면 고통이 인다.

자연적으로, 이러한 변화들은 그 흐름을 떠나게
하는 것 없이, 피할 수 있다.

그리고 요가의 빛은 공간의 빛에 의해서 도약할
것이다.

니르바나로 가는 다른 하나의 길은 어디에 존재
하는가?

174

요가에 대한 추가적인 증거는 존재가 높은 곳들
에서 자유롭게 깊게 숨 쉴 수 있는 때다.
그때 의식이 허용한다면 아스트랄 세계의 가장
높은 층들에로의 길이 가까이에 존재한다.

자신의 지식을 중요하지 않은 것으로 쉽게 여길 수 있는 존재만이 요가(Yoga)의 길에 존재할 수 있다.

사람들이 수여한 자신의 우수성을 거의 상기하지 않는 존재가 요가의 길에 존재할 수 있다.

종교의 잘못된 주장에 배당하지 않은 존재가 요가의 길에 존재할 수 있다.

자신의 화신들을 기억하지만, 자신의 지구적인 혈통(계보)을 존경하지 않는 존재가 요가의 길에 존재할 수 있다.

자신의 이전의 노동을 가져갔던 폭풍우에 미소 지으면서 일 년마다 자신의 정원에 씨뿌리기를 반복하는 존재가 요가의 길에 존재할 수 있다.

중상(비방)의 능력을 상실한 존재는 요가의 길에 존재할 수 있다.

보이지 않는 최상의 존재에 대한 탐구가 목적인
존재는 요가의 길에 존재할 수 있다.

진리를 배반하는 모든 사람을 거절하는 사람이
요가의 길에 존재할 수 있다.

무적의 오라를 주는 순수한 생각으로 자신을 둘
러싸는 존재는 요가의 길에 존재할 수 있다.

진실로, 나는 말한다.

아그니 요기는 지구 그리고 상위에서
자신의 가치 있는 지위를 받아야 한다.
자신을 가장 정묘한 원소로 둘러쌌기 때문이다.

겁쟁이가 아부할 때
요기는 불의 무기를 착용한다.
그는 두려움이 없기 때문이다.

내가 오래전에 여러분에게 다가오는 요가의 상

징들로 드러낸 불의 세례, 불꽃의 십자가, 불타는
성배들을 모두 기억하라.

 삶에 적용하기 위한 이 불의 상징은
 모든 가르침을 통해 전달됐다.

 그래서 불의 현현은 더욱 가까이 왔고
 물은 불로 대체되었다.

아그니 요가를 완성하는 방법

175

나는 품격을 격하하는 어떠한 것이 이 세상들을 결합하는 이 연쇄 구도에 접촉하지 못하도록 스승의 이름을 아주 높게 격찬하는 것을 여러분에게 위임한다.

또한, 반복해서 (진리의 길에) 노크하는 존재들에게 여러분의 도움을 확장하는 것을 위임한다.

나는 여러분에게 지구상에서의 삶의 목적을 말하는 것을 위임한다.

나는 여러분에게 우리와의 영적인 소통의 품격을 떨어뜨리는 모든 것을 배척하는 것을 위임한다.

나는 여러분이 우리의 존재를 단언하게 하는 것을 위임한다.

우리의 가르침에 대한 이해는 그것을 받아들이는 사람들의 삶을 본질적으로 변형해야 한다.

그것은 가능성을 주어야 한다.
그렇지 않다면 왜 부담을 취하겠는가?

176

요가의 장점 중 하나는 스승들과의 교섭 가능성이다.

이에 대해서 존재는 흐름의 두 유형을 구별해야 한다.

단일한 흐름과 공간의 흐름이다.

단일 흐름은 한 사람의 선택된 스승의 반응을 가져온다.

공간 흐름은 여러 스승과의 접촉뿐만 아니라 우주적인 지혜를 받을 가능성을 허용한다.

힘들의 지출에서 그 두 흐름 사이의 차이를 깨닫는 것은 필수적이다.

하나의 램프가 다양한 흐름에 영향받듯이, 센터들은 공간의 흐름에 진동한다.

매일의 삶에 그러한 다양한 에너지의 결합을 가져오는 것에 주의가 필요하다.

여러분은 두 흐름의 차이의 예를 가지고 있다.

단일의 흐름은 건강에 덜 효과적이다.

미래의 연구(조사)를 위해, 그 흐름 중 어떤 것을 여러분이 다루고 있는지 아는 것은 중요하다.

과학자들은 연구 방법들을 분리할 수 없을 것이다.

관찰 중인 한 주제가 특별한 상태들엔 왜 덜 필요할까?

반면에, 다른 한 존재의 영은 보이지 않는 새처럼 퍼덕거려 보통의 치료가 효과 없이 던져지는가?

요가의 이 단계는 현대의 삶에 어렵게 적용되는 그러한 에너지들을 다룬다.

종종 보통이 아닌 타입의 에너지와 접촉 후에 상당한 시간 그러한 현현들에서의 정지(휴지)가 필요하다.

그러나 열정적인 영은 자신의 센터들에 그런 휴식을 허용하지 않는다.

그런 다음 우리는 타이른다.

"주의하라."

아그니 요가는 단지 지금 삶에 들어오고 있다.

자신을 이러한 힘들의 영향에 바친 존재들은 다

른 종족인 것처럼 특별한 어려움을 견딘다.

그러므로 우리는 과학자들에게 이렇게 말한다.

"잘못 추론하지 마라."

대다수가 진화의 성취에 자신을 바칠 준비가 되어
있다고 생각한다.

그러나 상황은 가장 가혹하다.
그래서 큰 그물을 던지지 못하는 존재는 접근하
지 않는 것이 좋다.

177

젊은 사람 중에는 이런 물음을 던지는 이가 있다.

"존재는 아그니 요가를 어떻게 이해해야 하나요?"

말하라.

"영의 씨앗에 영양을 공급하는 불의 원소이자 삶에서 모든 것을 감싸는 불의 원소의 인식과 적용으로 이해하라."

그는 물을 것이다.

"저는 어떻게 그 지혜에 접근할 수 있나요?"

여러분의 생각을 정화한 후 가장 나쁜 결점 3가지를 결정한다. 그리고 그것들을 불같은 노력으로 태워라, 희생하게 하라.
그런 다음 지상의 한 스승을 선택하고 그 가르침을 이해하고, 육체를 처방약들과 프라나야마(pranayama)로 강화해라.

여러분은 영의 별들을(the stars of the spirit) 볼 것이다.
자신의 센터들의 정화의 불꽃들을 볼 것이다.
보이지 않는 스승의 목소리를 들을 것이다.
삶을 변형하는 가장 정묘한 인식을 획득할 것이다.

(거기에) 들어간 여러분은 도움받을 준비가 된다.

그리고 미션이 주어진다.

여러분은 즐거움이 특별한 지혜임을 깨닫는다.

여러분은 그 흐름의 오래된 기슭으로 되돌아가지 않을 것이다.

여러분은 공간의 전투들을 깨닫는다.

맹목적인 증거는 더 이상 여러분을 위해 존재하지 않는다.

여러분은 목표를 달성하는 공동의 일꾼이고 형제이다!

아그니 요가 수행자의 본질 추구 성향
178

아그니 요기에게는 목수의 일, 대장장이의 일, 세탁소의 일은 해롭다.

존재는 공간의 전투들을 견디는 준비를 해야 한다.

또한, 삶에 소환된, 그 불이 유기체에 어느 정도 순화하는지를 이해해야 한다.

나(I), 하이어라키는 새로운 요가를 전달해서 얻는 성취가 다른 모든 임무보다도 더 우월함을 공표한 것은 정당하다.

아그니 요가가 삶에 도입되려면, 그것을 실천하는 존재들(bearers)은 외적인 삶에서 달라서는 안 된다.

아그니 요기는 삶에 있어서 눈에 띄지 않게 삶으로 들어간다.
그는 인간적인 차이(탁월성)를 필요로 하지 않는다.
그는 관찰한다.
그러나 타인의 관심을 참지 못할 것이다.

공간의 흐름은 군중의 관심의 화살들을 완전하게 제외한다.
왜냐하면, 진화는 군중에 의해서 만들어지지 않기 때문이다.
심지어는 그 단일의 흐름도 탐욕스러운 우발적인 화살들로부터의 보호가 요구된다.

이는 약간의 삶에서의 소외함(멀리함)이 필요하다는 의미가 아니다.

단지 그 환경에 대한 목적의 적합성을 평가해야 한다.

한 요기는 겉으로 보이는 불운을 보고도 못 본 체한다. 그 사건의 원인과 결과를 식별하기 때문이다.

사람들은 항상 계속된 지 오래된 예로부터의 행위들의 결과를 우연으로 생각한다.

사람들이 거만하게 통과하는 곳에서 한 요기는 진정한 가능성을 인지한다.

요기의 가슴이 요기가 공헌의 싹들을 보는 가장 가련한 개에 응답한다면, 여러분은 놀라지 마라.

갑자기 가장 비천한 소년을 미래의 공동의 워커라고 부른다고 놀라지 마라.

사람들이 한 요기를 엄격하고 냉정한 사람이라고 부르자마자 그는 진정한 사랑과 연민의 행위를 기대하지 않게 수행한다.

확실히, 이 행위의 목적은 구경꾼에 의해서 잘못 판단될 수 있다.

사기꾼이란 타이틀은 요기에게는 영광스러운 직함이다. 왜냐하면, 진화는 군중에게는 혐오스러운 것이기 때문이다.

우리는 인류와 개인들에 대해서 말한다.

군중의 야수성은 진화의 건설자와 가깝지 않다.

180

각각의 세기에 이 세상의 물리적인 상태에 따라 특별한 요가의 종류가 도입된다.

존재는 불의 치료가 요구되는 곳에서 대지(earth)의 원소를 적용하지 못할 수 있다.

물 혹은 공기가 불의 날개들을 대신해서 도움이 될 순 없다.

대륙들을 날려버리는 불가피한 대격변과 같이, 불의 힘에 대한 실현의 요가는 그렇게 연기할 수 없다.

날짜에 대한 이해는 깨달은 의식의 표시로 나타난다.

181

요기는 소유물이 거의 없다.
소유한 것이 있다면 다 필요한 것들이다.

만약 한 사물(대상)이 일반적인 중요성을 띤다면, 사용한 후에 공동의 금고로 돌아가야 한다.

일상의 대상들이 때때로 신뢰받는 사람들에게 주어질 수 있다.
그러나 오라들이 섞이는 것을 방지하기 위해서, 그것들을 불태우는 것이 더 좋다.
물론, 명확한 오라가 침투된 한 대상을 전달하는

것이 종종 유용할 때가 있다.

요기는 한 대상의 근본적인 장점을 깨닫고 그 가까이에 어떤 나쁜 대상(물건)들을 가지지 않을 것이다.

소유물에 대한 문제는 너무나 많은 사람의 시간을 낭비한다.
그러므로 영의 배양은 둘러싸는 대상들이 최상의 품질이 되게 해야 하는 것을 요구한다.

미래의 구조들에서 존재는 사람들로부터 그들의 물질적인 필요에 의식을 소비하는 것으로부터 자유롭게 해야 한다.
공동생활의 근본은 각각의 이성적인 공동의 워커에게 힘과 노동을 보호하는 이치에 맞는 편안함의 가능성을 준비하는 것을 전제로 한다.

한 요기는 그의 시간과 에너지를 낭비함으로써 벌을 받지 않을 수 있겠는가?

힘과 시간의 낭비는 자살과 동등하다.

비슷하게, 진리의 상징들을 해독하는 것과 그것을 삶에 적용하는 것을 실패하는 것은 무지로 여겨진다.

진화의 과제들에 대한 이해의 광선은 가장 훌륭한 창조물들을 통과할 것이다. 그러므로 여러분에게 현현되는 것의 특질(품질)을 엄격하게 평가하라.

아그니 요가 수행자의 부단한 노력
182

우리가 가는 길에서
여러분의 평가 속에서
가치 있는 모든 것을 가져오는 것을 잊지 말라.

가치에 대한 이해를 연구하는 것은 공부에 도움이 된다.

영의 영역에 대한 것을 아는 사람조차도 이류의,
추한 사물들에 관심을 가진다. 추한 사물(대상)은
어둠의 힘에 도움이 된다는 것을 잊는다.

요기는 사물의 특질(품질)들을 명확히 알아야 한다.

한 존재가 자신의 추락을 깨닫지 못할 때
행성의 멸망을 걱정하는 것은 이른 것이다.

존재는 노동하는 건설자처럼
존재의 상처를 치유할 수 있고, 걸을 수 있다.

새롭게 매일 이해하는 그것은
삶의 모든 사소한 일에 대한 깨달음을 준다.

요기는 불투명한 지역들로 날아가지 않는다.
그러나 멀리 떨어진 세계들과 접촉하는 은줄은
유지한다.

요기는 스승이 내는 끊임없는 시험 아래에 있다.

그와 비슷하게 요기는 자신에게 접근하는 존재들을 시험한다.

추위와 배고픔 그리고 모든 다른 수단들의 시험에 대한 의미를 설명하라.

무지한 자는 추위와 배고픔의 감각이 어떻게 일소되는지에 대해 당황할 것이다.

그러나 사물에 대한 에센스를 이해하는 존재는 그 감각들이 사라지지 않음을 안다.

그러나 영에 대한 상태는 아무것도 그 영을 동요시킬 수 없는 그러한 상태일 수 있다.

배고픈 존재는 그의 영이 동물적인 상태에 도달

하지 않았더라도 만족의 수단을 찾을 것이다.

그의 영이 왜 그가 그 자신을 강하게 해야 하는지를 아는 한, 그 자신을 따뜻하게 할 수 있다.

그러지 않으면 동물적인 초조함, 의식의 불명료함, 추락만이 남을 것이다.

유연성은 삶의 함정을 가장 잘 피하게 하는 것이다.

요기는 즉각적으로 목적의 적합성의 가치를 평가한다.

만약 그의 요가 가르침을 드러내기 위해 그에게 고기 한 조각을 제공한다면

그는 자신의 비밀을 드러내는 것보다 그 고기를 먹는 것을 선호할 것이다.

고기의 효과는 쉽게 정화할 수 있다.

그러나 반역의 손들에서의 비밀의 결과는 돌이
킬 수 없다.

그래서 종종 거의 허가될 수 없는 강타하는 광선을
투사하는 것이 필요하다.

나는 또한 여러분에게 아그니 요가를 위한 창조
적인 워크의 중요성을 상기하고 싶다.

여러분은 두 가지 음악 작품이 다르게 해석되게
분석하도록 명령받았다.

그리고 영은 그 효과의 차이가 어디에 있는지를
이해했다.

그렇게 의식은 진리의 접촉 때문에 올려진다.

하나의 더 많은 추상 작용은 우리에게 하나의
실체가 될 것이다.

그래서 부단한 노력에 의한 깨달음의 실현은 얼마나 아름다운가!

그 속에 움직임이 놓여있다.

불의 요기는 생기 없음(inertness)에 굴복할 수 있는가?

나는 이것을 여러분의 귀를 위해 말하지 않고, 적용을 위해 말한다.

기술이 좋은 궁수(archer)는 심지어는 화기(firearms)
도입 후에도 재주 좋은 궁수로 여겨질 수 있다.

요가들도 같다.

하타 요가를 제외한 모든 요가는 성취에 있어서
는 아름답다.

그중 어떤 것을 축소하는 것은 현명하지 않다.

존재는 현대적인 진화 과정에 더 잘 적용하는
것만을 말할 수 있다.

아그니 요기의 대기와 공간의 정화

186

요기는 행위로 적용하기 위해 대기의 상태들을 이해해야 한다.

그래서 무지한 관찰자도 전기 파동은 본질적으로 보통 결과의 순서(질서)를 변경할 수 있음을 선명하게 알 수 있다.

그래서 자기적인 강풍 그리고 습기의 가라앉음은 다양한 심령적 결과를 생산한다.

자기력적인 회오리바람들과 모든 전기적인 현현은 우리의 친구다.
그러나 대기의 침전물들은 불의 흐름을 어지럽힌다.

우리는 여태까지

준비되지 않은 존재가 생각지 못한(의심하지도 못한) 개념들의 유용성을 나르기 위해 전기로 충전된 대기를 사용했다.

아스트랄체의 탈출 순간도 자기력 파동들에 도움받는다.

그러므로 요기는 자연에 의한 만질 수 없는 모든 진행 흐름에 대한 민감성이 필요하다.

이를 위해 주로 프라나(prana)와 접촉한다.

이것을 수행하기 위해서
창(window)은 습도가 매우 짙을 때를 제외하고는 닫혀서는 안 된다.

급작스러운 움직임 없이, 긴 목욕과 따뜻한 목욕이 유용하다.

갑작스러운 움직임은 오라의 움직임을 어지럽힌다.

그래서 우리는 피한다.

속도감 있는 리듬은 대기와의 합일(unity)을 파괴하지 않는다.
그러나 발작적인 움직임은 바늘 같이 오라를 상처입힌다.

많은 관찰은 미래에 대한 구조를 촉진할 수 있다.

그러나 이것을 완수하기 위해서, 심지어 모기조차도 사람보다 대기의 상태를 잘 안다.

그러나 사람들은 자신이 자연에 대한 왕이라고 여기며 아무것도 알려 하지 않는 권리가 있다고 생각한다.

Soma의 층들에 의해서 센터들의 불을 덮는 것은 종종 필요하다.

그러지 않으면 외적인 상태들의 날카로움이 센터들에 불을 붙인다.

다시 우리는 우리의 스승에 의해서 중도(the golden mean)로 불리는, 즉 이해의 완전함인 용어로 될 수 있는 균형의 필수성에 접근한다.

여러분은 다양한 연료의 해로운 효과를 안다.

그러므로 존재는 벽난로(난로)의 만듦에 주의해야 한다.

어떤 경우에는 음식, 특히 피비린내 나는 음식에서 방사되는 것들이 특정 존재의 어떤 태도를 끌어오기에, 난롯가에 오랫동안 머물지 않는 것이 좋다.

차가운 훈제 고기와 가금류를 먹는 것이 더 좋다.

동등한 주의로
존재는 침실의 순수성에 주의해야 한다.

존재는 아스트랄체가 떠나는 동안 육체는 보호되지 않고 남아 있음을 기억해야 한다.

공기에 독성이 있으면 특정 존재들이 반드시 나타난다.

박하는 가장 좋은 소독제이고 아스트랄체를 돕는다.

아스트랄체는 다양한 목적을 띠지만, 우리가 생각하는 것보다 더 자주 육체를 떠난다. 육체에서 멀리 떨어지지 않고, 목적 없이 여기저기 헤매거나 유용한 많은 것을 획득할 수 있다.

각 존재의 긴급한 의무는 자신의 아스트랄체를 위한 가장 좋은 상태들을 창조하는 것이다.

또한, 더러운 물이 집에 머물지 못하게 조심해야 한다.

실내 분수나 수족관은 바람직하지 않은 동식물 사육장이다.
왜 물고기와 새가 감옥에서 고통받아야 하는가?

하나의 방, 한쪽 구석이라도 절대적인 순수성으로, 스승에게 바쳐지게 보존(유지)하라.
존재는 창가 옆에 아무도 앉을 수 없는 안락의 자를 놔둘 수 있다.

또한, 이상한 존재들을 들이지 말라.

이를 위해 존재는 가장 평균적인 존재가 되어야 한다.
그래서 그들의 철면피함은 오라를 스쳐 지나가야 한다.

이것이 요가를 강화하기 위한 조언이다.

존재는 우리의 행위에 대해서 생각해야 하고
행위의 정당성을 보증해야 한다.

생각에 최소한의 이중성을 가지는 것만으로도
화살을 목표에서 멀리 벗어나게 할 것이다.
이때는 요가를 접촉하지 않는 것이 좋다.

흐려진 의식은 동물 상태에서 온 상속이다.

구름 낀 생각은 필요 없다.
흐린 대답을 원하는 사람은 없다.

영의 흐름을 정화하는 것이 필수다.
그러나 우리는 강제로 영의 채널들을 깨끗이 하는
굴뚝 청소부가 아니다.

도움이 전달될 가능성은 반드시 주어질 것이라고
말하라.

190

요기는 습관이 없다.
그것들은 삶의 부패에 지나지 않기 때문이다.

그러나 요기가 행위에 대한 명확한 계획을 세우는
것은 자연스러운 것이다.

요기가 습관의 구속을 분리하기는 어려운 것이
아니다.

왜냐하면, 긴장하는 방심하지 않음은 항상 환경에
대한 새로운 접근을 드러내기 때문이다.

그러나 게으름은 무지의 골격이다.
얼마나 많은 왕국이 게으름 때문에 무너졌는가?

우리의 가르침은 그것을 삶에 적용하지 않는 존재들의 수중에서는 안정된 것이 아니다.

그들이 즉시 요가의 조언을 통해서 삶을 강하게 하는 수단을 발견할 수 있게, 이 가르침을 모든 나라의 공동의 일꾼들에게 말하라.

말하는 존재들은 너무나 많다.
행위 하는 존재들은 너무나 적다.

나는 일반적인 강의의 필요성을 보지 않는다.
그러나 개인적인 대화는 필요하다.

더욱이, 그 어려움과 이익(혜택)을 숨기는 것은 필요하지 않다.

이 요가를 세상의 일들과 관련시켜라.
존재는 삶의 체제를 도입해야 하기 때문이다.

그것이 없다면 사회적인 움직임은 나이 든 사람들의 가면무도회로 변할 것이다.

자유에 대한 엄격한 훈련은 매일의 삶에 들어오는 심령적인 에너지의 실제성에 대한 새로운 이해를 단지 가지고 삶을 재건한다.

이 새로운 이해가 삶에서의 적용을 위해서 요구된다는 것을 반복하라!

192

한 현현이 단지 소수를 위해서 필요할 수 있다.

그러나 대중은 그 배가 회전한 것에 대해서 알지 못한다.
그리고 아침에 묻는다.

"그 돛은 어디로 사라졌나? 왜 해안가는 그렇

게 비어있나?"

"여러분이 귀중한 화물을 싣는 것을 알아차리지 않았기에, 새벽의 바람을 통해서 잠을 잤기 때문이다."

존재는 대중에게 공개적으로 말할 수 없다.

아침이 접근할 때, 군중은 여전히 밤의 목소리들을 듣기 때문이다.

존재는 익숙하지 않은 공격으로만 히드라(hydra, 헤라클레스가 퇴치한 머리가 9인 존재)를 공격할 수 있다.

절대로 확실한 공격들을 연구하는 것은 요기의 의무다.

상위 지식을 끊임없이 구하려는 존재는
그가 경계하는 것을 흔들림 없이 유지할 것이다.

존재는 어떤 존재를 전사라고 말할 수 있는가?

누가 밭은 가는 존재인가?
누가 그것을 안내하는 존재인가?

요기는 이러한 3의 영광스러운 이름들로 불려야 한다.

그러나 씨뿌리는 그의 들판을 드러내는 시간이
올 것이다.
누가 그것의 수치(cubit)를 측정할 수 있는가?

왜냐하면, 요기의 들판은 공간이기 때문이다.

불이 그 존재 안에서 불탈 때
누가 자신의 승리를 나열할 수 있는가?

만약 그가 그들을 심지어 호명하지도 않고 안내한다면

그에 의해서 구원되는 존재들을 누가 셀 수 있는가?

아그니 요기의 자질과 특성
193

요기는 보통의 의미로 틀림없는 건강을 소유하고 있다는 잘못된 인상이 존재한다.

그러나 우리는 통나무에서 민감한 도구를 만들 수 있는가?

vina(인도 현악기의 일종) 현들의 가치는 가장 정묘한 음정 간격에 반응하는 것에 달려있다.

요기의 민감한 기관들도 똑같이 공명한다.

vina 현의 조율처럼, 자신의 존재함을 변하게 하는 묘사할 수 없는, 쏜살같이 지나가는 고통이 요기에게만 알려진다.

우리는 요가의 길에서 일어나는 위험을 강조해야 한다.

어떻게 존재는 센터들이 재생되는 동안 고통을 피할 수 있는가?

인지(인식)의 그 불은 뜨겁게 타면서 남아 있다.

말해진 것은 추상적인 상징이 아니라는 것을 지금 여러분은 안다.

과학이 심령적인 에너지 혹은 영성(spirituality)의 중요성을 서둘러 이해하지 않는 한, 이러한 고통에 대한 모든 보통의 명명어(전문어)는 쓸모가 없다.

그 이해가 요가의 위험으로부터 더 멀리 떨어질수록 인간은 가장 상위의 의식과 결합에 더 멀리 떨어진다.

이를 위해 의식의 우연한 비행은 가치가 없다.

필요한 것은 높이 올라감에 대한 끊임없는 노래다.

vina는 항상 울리지 않는다.
그러나 그것의 음정은 항상 조화롭다.

강건을 위해 요가를 구하는 존재는
와인 한 잔을 마시고 높은 생각들을 삶에 적용
하는 것 없이
높은 생각들을 가지는 것이 더욱 좋다.
왜냐하면, 요기의 건강은 높이 솟아오르는 독수
리 날개처럼 퍼덕거리기 때문이다.

요기의 눈은 독수리의 눈처럼 본다.

여러분은 그것을 안다.

요기의 고요함은 대양의 파도의 긴장과 같다.

요기의 건강은 vina의 조율로 비유된다.
같은 것이 요기의 워크로 말해질 수 있다.

목적의 적합성의 장막에 싸인 채로, 종종 공명하고
종종 침묵한다.

요기의 목적은 유용한 확언(useful affirmation)으로
공간을 채우고, 그 에너지를 진리가 타락된 곳으로
보내는 것이다.

요기가 갑작스럽게 나타난다면
오랫동안 사라진다면
어떤 존재가 그를 비난할 수 있는가?

특정 장소에 애착하는 것은 시간을 낭비하는 것이다.

생각과 행위만이 지구적인 거주함을 조건화할 수 있다.

그러므로 여행은 요가로부터 분리될 수 없다.

어떻게 그 밖의 기동성의 민감함이 태어날 수 있는가?
어디에서 독립이 담금질 되는가?
어디에서 깨달음의 고독이 건설이 되는가?

요기의 워크의 반향은 공간으로부터의 그것의 확장을 획득한다.

요기는 공간에 친밀해야 하며
공간에서 이 세상 사람들에게 그 단어를 가져올 수 있다.

195

가르침을 위해 요기를 구하는 사람들은
똑같이 공적이 있는 것이 아닐 것이다.

요기는 누가 우연히 오는가를 이해해야 한다.
누가 학도가 될 수 있는지를 이해해야 한다.

미래에 다가오는 존재들을 통해서
그 자신을 완벽하게 하면서
누가 학도-스승이 될 수 있는지를 이해해야 한다.

요가에 접근한 다음
그 오래된 삶으로 돌아가려고 하는 존재들은 더
나쁘다.

지식의 한 알곡을 획득하고 편견의 어둠으로 돌아
가는 사람보다 아스트랄체가 육체를 붙잡는 것들로
되돌아가기가 더 쉽다.

요가를 알고 싶어 하는 존재들에게 경고하라.

우리는 사람을 미혹으로 인도할 수 없다.

망상과 잠에 대한 아그니 요가의 역할
196

많은 사람이 요기의 방패에 대해서 꿈을 꾼다.

그러나 하나의 칼을 만드는 것은 지루함을 발견한다.

하지만 공격하는 능력은 다른 하나의 무기를 통해서 오지 않을 것이다.

197

"깨어나라, 잠자는 존재여!"

사람들은 이 호출을 반복하기를 사랑한다.
이 말이 계속 잠자는 존재들에 의해서 반복될 때, 특히 현저하다.

그들은 몇 년 동안 잠잔다.
전체의 삶을 통해서 잠을 잔다.

그들은 종종 갑작스러운 잠에 빠지고
졸린 상태에서 이상한, 지적이지 않은 말들을 반복한다.

가끔 지나가는 존재들에 대해서 말하지 말자.

그러나 이미 이해하는 존재들조차도 동물적인 잠의 공격에 종속된다.
그러면 스승의 과제는 필요하다면, 번개를 써서라도 그들을 깨우는 것에 있다.

잠은 쉽게 사로잡히는 강박관념(망상)이 될 수 있기 때문이다.

축복받은 인도여!

여러분은 홀로 스승과 제자의 개념을 수호했다.

스승은 그의 제자의 영의 배를 인도할 수 있다.
스승은 잠의 공격을 추방할 수 있다.
스승은 처지는 영을 들어 올릴 수 있다.

감히 거짓으로 어떤 사람을 그의 스승으로 주장하는 사람과
자신을 영광스럽게 하면서 스승이라는 단어를 가볍게 발성하는 사람에게 화가 있어라!

진실로 상승의 길을 이해한 그 영을 꽃피우게 하라.

생각의 이중성에 머리를 숙이는 존재는 실패한다.

존재는 한 힌두 소년에게 그가 스승을 가지기를 원하는지 물을 수 있다.

대답에는 어떤 말이 필요하지 않다.

왜냐하면 그 소년의 눈이 욕구, 노력함, 헌신을 표현하기 때문이다.

선량한 사람의 고향(Aryavarta)의 불은 그의 눈에서 불탈 것이다.

리그베다의 흐름은 산들의 경사진 곳들에서 흐를 것이다.

누가 말로 교사 직분의 전체적인 연쇄를 묘사할 수 있는가?

지식의 뱀에 대한 깨달음이 존재하거나 지식이 적다면 어둠, 잠, 망상이 존재한다.

두려워할 필요는 없다.

그러나 존재는 요가에 접근하는 모든 사람에게 말해야 한다.

즉, "여러분이 지원할 존재는 스승이다. 여러분의 방패는 스승에 대한 헌신이다. 여러분의 추락은 무관심이며 생각의 이중성이다."

친구들과 스승의 적들에 같이 미소 짓는 존재는 가치가 없다.

말이 필요할 때 심지어 과묵함으로 스승을 배반하지 않는 존재는

그 문턱의 단계에 들어갈 수 있다.

198

여러분은 높은 곳들에서의 요가의 상징들을 받았다. 추위 혹은 고도가 여러분의 건강을 해치지 않음을 확신하게 되었다.

그러면 추위를 정복하지 못한 존재가 어떻게 최고의 전율을 참을 수 있는가?

지구의 높은 곳들도 무서워하는데, 존재가 멀리 떨어진 세계들에 대해서 명상할 수 있겠는가?

배고픔의 지나가는 감각이 정복되지 않는다면
어떻게 존재가 자신을 자유로워진 영으로 상상
할 수 있는가?

부담을 진 위장은 상승의 중지에 대한 표시다.
지구적인 삶에서의 어떤 양의 몰입이 필수적이다.

그러나 그때 요가는 우주적인 의식 외에 많은
이익을 공급한다.

요가는 공간에 대한 한 흐름을 제공하고
쓸모 있는 모든 행위에서 우리를 돕는다.

협력에 대한 지식은 유일한, 진실한 접근을 준다.

우리에게 실제로 대응하는 가능성을 주기 위해서
요가의 실제적인 적용 측면의 요가를 이해하는
것은 더욱 중요하다.

불로불사의 음료는 가장 정묘한 에너지들의 응결로 구성된다.

그때, 이미 언급된 모든 자질과 함께 요기가 노력함의 포화상태를 우리는 무엇으로 불러야 하나?

요기의 각각의 노력함은 가치 있는 에너지의 혼합물로 고취된다.

이 화합물을 노력함의 원반이라고 부르자.

요기의 노력은 정확히 빛을 가지는 원반처럼 상승한다.

어떤 무관심한 행위들은 그의 행위들이 아니다.

다른 방식으로, 요기는 의도하는 것 없이 산 정

상에 오르고 경탄해서 여기저기 응시하는 사람에
비유할 수 있다.

그러나 요기는 행위 한다.
그 행위 자체는 아름다움으로 변형된다.

비슷하게, 요기의 제자들은 이해의 최초 순간부터
행위 하는 것을 배운다.

학도는 스승이 부재할 때 자신을 다스리는 것이
특히 필요하다.

단지 그러한 시간에서 가끔, 그들의 짧은 시각은
예외적인 자유를 가지고 호흡한다.

왜냐하면, 스승의 개념이 깨우쳐지지 않고 그래
서 불로불사 음료의 길이 방해되기 때문이다.

아그니 요가 실현에서 인간에게 일깨워지는 에너지 법칙들은 긍정적으로 그리고 피할 수 없게 행위 된다.

그 요가에 접근한 존재는 누구도 그의 삶이 근본적으로 변화되지 않았다고 부정할 수 없다.

확실히, 그 영의 특질들에 의존해서, 삶이 넓게 확장되었거나 특별히 헛된 것이 되었다.

우리는 각 존재에게 말한다.
"불로불사의 음료가 가득 찬 성배를 받아들여라."

그러나 선택의 자유는 각 존재에게 달려있다.

조율된 도구를 가지고 조심하라.
그것은 어둠에서의 횃불과 같다.

그것을 어지럽히면서, 여러분은 여러분 자신에게
해를 가한다.

왜냐하면, 그것의 행성 간의 길은 불변하기 때문이다.

그리고 태양과 같이, 요기의 노력은 빛난다.

그의 길은 쉽지 않다.

202

요기는 욕구가 없다고 말해진다.
그러나 그때, 요기는 노력함으로 가득 찬다.

하나의 욕망은 적극적이지 않다.
그것은 기대를 생산하고
기대는 움직일 수 없는 것의 어머니이기 때문이다.

그러나 노력은
움직임을 만들어 내며
영의 상승을 인도한다.

요기는 사랑을 모르지만, 연민으로 가득하다고
말해진다.

사람들은 단지 서로 맞물리는 구속으로서만이
사랑을 안다.

그러나 연민은 경계가 없으며 진리에 대한 공동

의 일꾼이 된다.

요기는 일시적이 아닌 힘들로 옷을 입는다고 말
해진다.
그러나 그의 노동을 사랑하는 원예인과 같이
그는 기회로 가득 찬 자신의 정원의 종묘장을
배양한다.

203

드루이드 어머니는 지식을 수호해서 왜곡을 막았다.

그렇게 아그니 요가의 어머니는
가르침을 왜곡으로부터 수호할 것이다.

진리의 불같은 이해는 어렵다.
그러나 끊임없는 봉사는 반역을 겪지 않는다.

태양의 무기는 손안에서 머뭇거리지 않고

진리가 아닌 것에 무릎을 굽히지 않는다.

그래서 새로운 생명을 만드는 것으로 이루어지는 그 가르침이 이해되어야 한다.

그것은 말한다.
"여러분은 들었다. 여러분이 어떤 왜곡에 대한 책임을 받아들인 이 순간부터 그것을 이해해야 한다!"

아그니 요가의 신비한 에너지
204

즐거워하라! 즐거워하라! 즐거워하라!
요기는 즐거움에 속하는 지혜를 틀림없이 알기
때문이다.

축복받은 존재의 성궤는 영의 즐거움을 보호하
는 것이다.

영의 존재함을 느끼는 존재는 이미, 그의 한계
없음을 알고 즐거워한다.

205

가능성을 축적했으나 외적인 환경 때문에 자신
을 표현할 수 없는 영은 매우 힘들다.
가장 가까운 예가 공간의 불의 자극하에 있는

덮어져 있는 끓는 주전자다.

그때, 존재는 냉각하는 흐름을 교체하는 것을 적용해야 한다.

심지어는 그 돌들도 작열하게 하는 공간의 불은 센터들의 채널과 분리할 수 없는 연결을 하고 있다.

그러므로 스승은 가장 자아를 희생하는 요기에게도 말한다.

"조심하라!"

206

Materia Lucida(800년 전 독일의 성녀 힐데가르트가 말한 명료한 물질, 명료한 생명 에너지, 빛을 내는 물질, lucida materia)의 수정은 여러분에게 보인 것과 같이 단지 그렇게 크게 좀처럼 보이지 않는다.

이러한 것 때문에 자기력 흐름들을 특별하게 집중시켜야 한다.

그 수정은 말하자면, 보석 때문에 끌어당겨지는 것처럼 보인다.

그것은 제3의 눈 센터를 예리하게 하고
가장 높은 계에서의 아스트랄적인 구조의 물질로 현현된다.

그것은 가장 정묘한 에너지들에 속한다.

인류가 그것을 받아들이기를 바란다면
인류에게 약속된 에너지를 형성하는 것에서 한 성분이 될 것이다.

이 빛은 강화되어 무한으로 될 수 있다.

그리고 어떤 물질의 소비가 필요하지 않고
어떤 형태를 취할 수 있는 깨달음을 제공할 것이다.

이 문제는 해결할 수 있다.
그러나 인류의 욕구가 필요하다.
그렇지 않으면 가장 정묘한 에너지들의 흐름에
접근할 수 없다.

이러한 에너지들은 심령적인 에너지와 연결된다.
그러므로 각각의 남용(오용)은 파괴적이다.

깨달음을 위해서
치료를 위해서
Materia Lucida는 대체될 수 없다.

그것은 신경을 고요하게 하는 것에 최고의 치료가
될 것이다.
왜냐하면, 인류의 심령적인 에너지 저장고와 다
소비할 수 없는, 우주의 에너지 사이의 다리를
제공하기 때문이다.

207

성난 사람은 황소와 같다.

그러나 정의를 위해 공격하는 존재는 빛이 나는 영과 같다.

사람들은 언제 가장 높은 존재 같이 되는 것의 경이를 이해할까?

그들은 아직 이 생각에 심지어는 부끄러워한다.

208

이것이 특별히 이 현재의 순간에
아그니 요가에 관심을 주는 것이 중요한 이유다.

각각의 세기에서
심령적인 에너지는 절박하게 인류에게서 일깨워진다.

그러나 항상 이 혜택을 주는 징조는
두 발 동물이 받아들이지 않는다.

예를 들어보자.

지난 세기의 시작에서
그것의 본질에 대한 이해 없는
적절하게 말하면 영웅적인 행위가 없는
낭만주의 물결이 일어났다.

같은 세기 중간에
이 세상은 부정적인 물질주의로 둘러싸였고
물질의 진정한 성질을 연구하는 데 실패했다.

세기의 끝에선 전적으로 퇴보했다.
그러나 가치들에 대한 재평가가 운명지어졌다.

현재 세기의 시작은
전쟁과 국가적인 대격변의 징조들로 표시되었다.

반면에 심령적인 에너지는
다른 세계들에 대한 정복을 가리키었다.

그렇게 해서 고의로
그 운명지어진 가치들은 곡해되었다.

지금의 세기 중간에서는
다양한, 동화되지 않은 에너지의 징조가 터져 나올
것이다.

그래서 다시
사람들은 잘못된 방향으로 허둥지둥 달려갈 것이다.

그러므로 지금은 열린 눈들에 진정한 길의 상징
(징조)들을 주는 시간이다.

그들이 자신을 진정한 길에 익숙하게 하는 시간을
가지게 하자.

그리고 그 기간이 얼마나 짧은지를 기억하면서, 행하라.

아그니 요기의 제자 선택과
정묘한 에너지의 무한한 작용
209

여러분이 제자를 선택할 때, 너무 성급하게 하지 마라.

그들이 의심하지 않게 드러낼 수 있도록, 접근하는 그들에게 3의 시험을 할당하라.

첫 번째 과제로 보편적인 선을 확인하게 하라.
두 번째 과제로 스승의 이름을 방어하는 것이 되게 하라.
세 번째 과제로 행위의 독립성에 대한 증거가 되게 하라.

과제 중 존재가 위협하기 시작하면, 그를 거절하라.
존재가 바로 근처에서 불평한다면 역시 거절하라.
존재가 의기소침해져도 거절하라.

나는 반역자에 대해서 말하고 있지 않다.

과제의 완성에 의해 여러분은 시험받는 존재들의
능력을 시험할 것이다.

의지의 자유는 모든 것에 존재한다.
행성 그 자체는 인간의 영의 힘 안에 존재한다.

210

우리가 가장 정묘한 에너지들을 말할 때, 현현되는
그 에너지의 징후들을 알아야 한다.

'가장 정묘한' 이라는 명명은 그것의 효과(결과)의
특질이 보통의 현현과는 다르리라는 것을 나타낸다.

가장 강력한 에너지는 가장 인식할 수 없는 것이다.
그 의식은 우주적인 에너지의 힘을 정확하게 통제한다.
공간의 그 의식은 두뇌에 흡수되는 질료에 스며든다.

이 과정은 드러날 수 없다. 측정할 수 없다.

그래서 회전하는 어떤 바퀴는 안 움직이는 것처럼
보인다.

둘러싸는 대기의 움직임만이 긴장 정도를 나타낸다.

비슷하게, 가장 정묘한 에너지들의 과정에서
그들의 현현은 크게 멀리에서만 관찰할 수 있다.

무색의 시안산(cyanc acid)만 눈에 검출되지 않는
것처럼
의식의 에너지는 자신의 현저한 행위를 시작하
자마자 그것의 효과(결과)는 공간을 둘러싸는 파동
들에 드러난다.

그와 같이, 빛나는 물질은 초기 현현들에서 눈을
멀게 하고는 있지만, 그것의 가장 정묘한 진동들
은 거의 인식할 수 없다.

같은 법칙이 다른 절차들에서도 분명하다.
사람들의 반응을 예로 들어보자.

하나의 연설이 수행되고, 군중은 확신한다.

그러나 후속하는 반응들은 인식할 수 없다.

그런데도 존재는 처음의 반응이 가장 설득력 있었다고 확언할 수 없다.

의식의 등급은 변했고 번개는 침묵으로 대체할 수 있다는 것도 충분히 가능하다.

그리고 침묵의 힘은 이미 언급되었다.

그래서 환경들은 완전히 이해하기 쉽게 그러나 보이지 않게 형성된다.

사람들은 변화된 환경들을 그들의 결말에서 알아차린다.

그러나 요기는 그 형성에 대한 가장 정묘한 과정을 전체적으로 예견한다.

요기에게 "우연적인 것은 없다"라는 말은 무지개 같은 반응을 의미한다.

그 형성된 것들은 많은 색깔로 계층을 이룬다.
그리고 이것을 기억하는 것은 가치 있는 것이다.

즉, 화학적인 것에서와 같이 심령적인 성취에서도
우리는 절차의 단조로움을 피하기 위해 주의한다.

각각의 예상되는 동일함(획일적인 단조로움)은 많은
가능성을 차단한다.

각각이 겉으로 보기에 기대되지 않는 것은 가장
정묘한 에너지들에 대한 반응의 새로운 패턴을
진화하게 한다.

우리가 반응의 차이를 이해하지 않는다면, 우리가
진보(진화)에 어떤 이익을 가져올 수 있겠는가?

평화 지음 / 15,000원 (2018.03.22)

성공에 대한 비밀을 알고 싶었던 사람들은
『시크릿』을 읽음으로써 소원을 달성하는 방법을 알고자 하는,
이른바 '시크릿'의 염원을 품었다.
하지만 『시크릿』과 같은 자기 계발 서적에는
독자가 원하는 '구체적으로 소원을 달성하는 방법'을
제시하는 것이 거의 없었다.
  저자는 '시크릿'과 소원 성취에 관한 구체적인 방법을
일반인에게 제시한다.

Elizabeth Towne, 정재훈 지음 / 15,000원 (2021.07.30)

당신은 지금, 이미 성공한 사람입니다.
당신은 당신이 되려고 하는 모든 것입니다.
당신의 소원, 성공은
이 책을 참고하여 올바른 의지를 세우는 순간,
이미 달성되었습니다.

William Walker Atkinson, 정재훈 지음 / 10,000원 (2021.11.05)

생각은 물질이다.

존재는 자신이 가진 생각 그 자체다.

사업은 자신의 선한 상념을 물질계에 구현하는 신성한 행위다.

당신은 당신만의 현실을 창조하고 있다.

당신은 무언가를 두려워할 필요가 없는 존재다.

본서에서는 딱딱한 이론적 설명을 최대한 배제할 것이다.

실질적인 체험, 결과를 바탕으로 지금 당장 활용할 수 있는 방법을
제시한다.

William Walker Atkinson 지음 / 10,000원 (2022.02.14)

나의 유일한 목적은 인간 내부에 잠재하는 강력한 포스들(개인적인 자기력, 심령적인 영향력)을 계발하고 효과적으로 사용하는 수단을 알리는 것이다.

자신에게 나는 영원한 삶의 원리 일부분이라고 말하라.

신성한 이미지를 따라서 창조되었다고 말하라.

생명의 신성한 숨결로 가득 차 있다고 말하라.

아무것도 나를 해칠 수 없다.

나는 영원의 일부이기 때문이다.

『상념 포스의 활용』의 토대가 된 1900년 作 원문번역본

Joseph S. Benner 지음 / 12,000원 (2022.01.18)

이 책에 시선을 둔 그대에게, 나는 말한다.

영혼이 지치고 낙심하여 거의 희망이 고갈된 그대여.

나는 그대, 그대의 신성한 자아, 내부의 영, 그대의 영혼, 초월적 자아 곧 진정한 그대다.

이 책에 담긴 깊고 생명력 충만한 진리를 더 잘 이해하려면 고요하고 열린 마음으로 접근해야 한다.

지성을 잠재우고 그대의 영혼을 초청하여 가르침을 행하게 하라.

그대, 함께 할 준비가 되었는가?

A.E. 포우웰 지음 / 13,000원 (2022.02.23)

치유와 죽음은 왜, 어떤 원리로 일어나는가?

전기 에너지와 경락의 흐름은 프라나(Prana), 쿤달리니와 어떤 연관이 있으며 침, 뜸의 효과는 어떻게 설명되는가?

보이지 않는 무엇이 있을까?

이를 밝힌다.

1925년에 발행된 인간의 내부 구조를 주제로 한 5부작 중 첫 번째

C.W. Leadbeater, Annie Besant 지음 / 15,000원 (2022.04.01)

생각은 실체를 가지고 있다.

우주의 법칙에 따라 아름다운 색채의 향연으로 우리 앞에 모습을 드러낸다. 살면서 품게 되는 모든 생각과 상상은 현실에 지대한 영향을 미친다.

생각이 물질계에 표현되는 방식과 원리를 알고, 지극히 작은 자신의 상념 한 조각조차도 거대한 결과를 이루는 씨앗임을 깨닫는다면

앞으로의 인생의 목표, 삶의 방향은 놀랍도록 바뀔 것이다.

C.W. Leadbeater 지음 / 11,000원 (2022.02.08)

단순 투시

단순히 눈이 뜨임으로써 주변에 있는 아스트랄 혹은 에테르 질료의 물체를 무엇이든지 볼 수 있게 되는 것. 현재 이외의 다른 어떤 시간에 속하는 장소나 광경을 보는 능력은 포함되지 않는다.

공간 투시

투시자로부터 공간적으로 떨어진 광경이나 사건을 보는 것. 보통의 눈으로는 볼 수 없을 정도로 매우 멀리 있거나 장애물에 가려 보이지 않는 대상을 투시하는 능력.

시간 투시

시간상으로 떨어진 사건이나 대상을 보는 것. 과거나 미래를 들여다보는 능력이다.

카라 지음 / 15,000원 (2020.05.16)

온 국민이 코로나 사태로 고생하고 경제 전망도 어두운 때 희망을 선사하는 책이 나왔다. 표지와 제목은 물론 기발한 내용으로 가득 차 있다. 한국이 2022년 카타르월드컵 우승할 수 있다는 대담한 선언!

알베르트 아인슈타인이 "지식보다 중요한 것은 상상력(Imagination)이다."라고 했는데, 저자는 상상하는 것(Imaging)과 상상력을 사용(Imagining)하는 것은 전혀 다른 것임을 명확히 설명한다.

나와 당신의 이야기,
그리고 그림

신성 지음

신성 지음 / 15,000원 (2020.07.31)

누구에게나 하루의 순간 중에 잠시 떠오르는 추억이나 애틋한 감정
이 있다. 저자는 이러한 감정을 놓치지 않고, 그중 선명한 한 가지를
주제로 하여 차별 있는 나만의 이야기로 정리하였다. 그리고 '벗님 카
페'라는 직장인 음악 밴드에 연재하던 글을 모아 출간하였다.

또한, 〈나와 당신의 이야기, 그리고 그림〉의 또 다른 볼거리인 그림
은 미국에서 화가로 활동 중인 저자의 누나가 직접 그린 그림이다. 고
향에 대한 그리움을 떠올리며 그린 수채화와 정물화가 저자의 일상을
더욱 풍성하게 만들어 준다.

한사랑 지음 / 17,500원 (2022.03.20)

30년 만에 명상록을 다시 복간하면서 감회가 새롭습니다.

2022년 한국은 지난 1만 년 한국 역사를 통합하고 새로이 도약하는 시점에 도달했습니다.

한국의 도약은 지난 60년간 한국에 화신한 영적인 영혼들이 모두 깨어나는 그 에너지에 의한 것이기도 합니다.

92년 WHITE VACUUM 출판사를 만든 이후로 지난 30년간 IMF, 서브프라임, 우크라이나 전쟁을 겪으면서 한국과 세계는 문명상승과 하강의 분기점에 도달했습니다.

한국의 도약은 남북통일을 가능하게 할 것이고, 세계 전체를 다시 하나로 융합하는 에너지를 발산하게 할 것입니다.

모쪼록 앞으로 출간하는 다양한 책이 한국의 도약과 세계 평화를 완성하는 강렬한 불꽃을 발화시키는 역할을 하기를 기대합니다.

모리아 대사 지음 / 12,000원 (2022.04.29)

신과의 합일인 요가.
인도 8대 요가 중
모든 것을 변화시키는 불의 요가에 관한 책.

아그니의 생각의 불, 마음의 불, 영혼의 불로
자신의 삶과 세상을 변화시키기.

모리아 대사 지음 / 12,000원 (2022.04.29) 전5권 완결

세상에 위계가 존재하듯이
우주에도 위계가 존재한다.
우주의 위계는 완벽과 질서와 조화로 만들어진다.
일체 모든 것, 신성과 만물을 알고자 한다면
하이어라키를 알아야 한다.

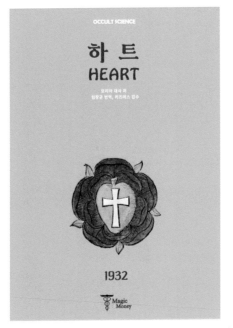

모리아 대사 지음 / 12,000원 (2022.04.29)

하늘과 땅의 모든 것이 압축된 곳
세상의 모든 고통이 존재하는 곳
세상의 모든 전쟁의 원인이 존재하는 곳
그 원인을 제거할 유일한 열쇠가 있는 곳
인류의 하트에서 정의로운 불꽃이 일어날 때
세상은 전쟁이 사라지고 평화가 정착된다.

알렉산드라 데이비드-닐 지음 / 16,000원 (2022.05.10)

한 서구 여성이 파헤친 티베트의 신비
불교의 진수가 현존하고 그 외 잡다한 종교가 난무하는 가운데
사십구재의 진정한 의미인 바르도(Bardo)의 세계 등
참된 가르침과 초월적인 능력을 터득해가는 구도의 여정

알렉산드라 데이비드-닐 지음 / 15,000원 (2022.06.16)

불교의 정수가 현존하는 땅 티벳에서 탐구한 서구 여성의 구도 기록
제자도와 신비적인 가르침 그리고 여러 영적인 훈련 및 심령 훈련에
대해 자신이 직접 체험한 내용을 생생하게 묘사하고 있다.

티벳의 여러 심령현상과 그에 대한 과학적인 설명을 흥미진진하게
이야기한다.

Elizabeth Towne 지음 / 8,500원 (2022.07.17)

더 행복하고, 건강하고, 균형 잡힌 삶을 살 수 있도록 도와줄 삶의
힘을 깨우는 법을 배우세요.

당신은 마음가짐과 집중을 통해 신체적, 정신적 안녕에 대한 통제력
을 가질 수 있는 능력이 있습니다.

이 책은 당신의 심리 상태를 어떻게 개선할 수 있는지 알려주며
그로 인해 당신의 삶은 송두리째 바뀔 것입니다.

앞으로의 인류의 미래는?

앞으로 인류 문명은 상승 곡선으로 나아갈 것인가?
아니면 하강 곡선을 만들면서 파멸의 구도가 전개될까?

인간의 운명도 의지가 강한 자는 바꾸는 것이 가능한
데, 인류 문명의 방향성도 바꾸는 것이 가능하지 않을까?

수많은 고대 문명이 존재했었고
그러한 문명이 하루아침에 사라진 것은
파멸의 형태인가 아니면, 도약의 형태로 사라졌는가?

플라톤, 피타고라스 같은 고대 선지자와 매스터들이
퇴보하는 각 시대의 문명을 변화시키기 위해 어떻게 노
력했을까?

자신과 인류의 미래를 변화시키는 것을
공부하고 연구하고 싶은 분은

sita7@naver.com (메일)
010-2231-9977로 연락해주시기 바랍니다.